清　陳鏡伊編

道德叢書　之七

民間懿行

士篇、農篇
工篇、商篇
醫篇、雜篇

世界書局

民间懿行

王震书

民間懿行

道德叢書之七

江蘇海門陳鏡伊編

目錄

（一）士篇

（一）教師

(二) 著作家

肢體零落　全家溺死
削籍減壽

（三）畫家

艱辛不屈　萬象爲師

（二）農篇

出金救人　好施茶水
鬼魅畏懼　濟人之急
釋仇通好

（三）工篇

（一）船夫

舍貨救人　拯救婦孩

還金致富　還金得金

仁慈致富　害人自害

(二) 車夫

貧而好施

(三)石匠

不肯坿奸

(四) 木匠

害人害子　謀財害命

(五) 印刷匠

紙紙神譴

(四) 商篇

(一) 普通商

却敵救國
厚待幼弟
訪還寄金
廣行方便
建橋利行
施與好義
救溺償銀

幹父之蠱
罄貲助友
厚友薄己
濟人利物
寧飢償債
還女輸銀
愿商不死

救人獲報　　投生索債

殺人攫金　　雜假被焚

雜假暴死　　害人自害

刻薄滅門

（二）木商

罄貲建橋　　擲木陷害

（三）典商

出入公平　　容忍不較

貪價拒贖　　僞物易眞

（四）米商

任人自量　糴者自量

米散饑民　一味吃虧

義薄雲天　一善一惡

圖賴寄金　夾底斗

米中攙水

（五）書商

毀板愈疾　不賣淫書

淫書流毒

（六）棉商

認虧恤人　捐資散賑

功同良相
不計財利

全活無數
廣施救療

不計藥本
周給貧病

貧病送診
昏夜不辭

孝友可風
拒奔不淫

給藥拒淫
乘危妄索

視死不救
貪賄無狀

錯誤殺人
粗卒殺人

抄方救人
假方欺人

（六）雜編

誤殺寃報 郵差
妻孝神助 兵士

果報勸人 說書
知機避禍 卜者

藉卜勸善　卜者
嘉言激人　伶人
還金變相　僮僕
保護幼主　僕
諫主坿逆　僕
竭力養主　僕
縛主求賞　僕
欺凌其主　僕
保護幼主　僕
乞錢轉施　乞丐
盜知敬善　盜
巨盜成仙　盜
拒淫主婦　伶人
祖傳戒殺　茶役
衆去獨留　僕
盡忠報主　僕
半產善舉　僕
蒸稗佈種　僕
挾怨訴主
毒主殺身　僕
孝親不倦　乞丐
止怨不報
盜能仗義　盜
盜化爲神　盜

民間懿行

道德叢書之七

江蘇海門陳鏡伊編

(一) 士篇

(一) 教師

竭力盡心

宋王文康公父，訓誨童蒙，必盡心力。每與同輩論師道，童子一師事，則終身成敗榮辱俱吾任之。若不盡心竭力，誤人子弟，與庸醫殺人何異。又喜爲童子講孝弟故事，曰：「學者先心術而後文藝，先敦本而後施仁，如孝弟有虧，雖才華震世，不足重也。」

竭誠教人

宋鄧至授徒家塾。凡子弟來讀書者。每盡誠以教之。必先德行而後文藝。成材者甚衆。而至之後人。亦多貴顯。熙寧九年神宗御集英殿。第進士。鄧長子綰爲翰林學士。侍上前。唱至其弟績。綰下殿謝。又唱至其二孫。綰又下殿謝。上顧而笑。王恭公從旁贊曰。「此其父鄧至盡誠教人所致也。【按】人既稱我爲師。北面而事我我必盡誠以教之。方不負彼之望。鄧君既能成就人之子弟。則天亦成就其子弟。蘭桂連鑣。固其宜也。

盡心教書

潘景雲成都生員。盡心教書。不肯虛使修金。誤人子弟。除館課外。日講忠孝節義之事數條。反覆訓之。爲其徒者。皆知敦本。歲甲午入闈。房官不許其卷。耳邊忽聞人語曰。「此能苦心訓人子弟者。

已注定聯捷矣。」遂中。之房官出語其事。景益勉力。次年果成進士。

注重實學（一）

宋胡瑗教學湖州。有經義齋。擇通經有氣量者居之。有治事齋。人各治一事。又兼一事。如邊防水利之類。故湖學多秀彥。而能適於世用。

注重實學（二）

元許衡爲國子祭酒。召弟子王粹姚遂等爲齋長。時所選弟子皆幼。衡待之如成人。愛之如己子。其出入進退。則嚴如君臣。課讀之下。即習禮。或習書與算法。少者令習拜跪揖讓。進退應對。或射。或投壺。負者罰讀書若干遍。每說書不務多。惟精切婉到。苟未甚領解。則旁引證佐。廣設譬喻。必令其通達曉暢而後已。嘗言學者治生最爲先務。生計不足。即於爲學有妨礙。彼旁求妄進。蓋亦窘於生計之所致也。

盛衰繫之

沈龍江曰：子弟讀書有成有廢。乃關係門戶盛衰。一家禍福。爲師者成就得一個好人。便是莫大陰功。若躭誤人家子弟。大傷天理。世俗師道自處太輕。主家禮儀。亦多疎簡。不知根本者也。

講學感盜

王心齋從陽明講學。有盜至其家。亦與之講良知。羣盜譁曰：「如吾輩者良知安在」公曰：「汝試去衣。良知便露」盜因去衣。惟褌不去。公曰：「汝不去此。是有恥心。此心本有。謂之良知。即在此矣。因爲反覆曉喻。羣盜咸感悟而去。

拒淫館妾

楊希仲未第時。爲成都富家館賓。有一美妾。潛詣館中。申愛慕之意。希仲正色拒之。其妻在家夢神告曰：「汝夫堅持淸節。暗室不欺。神明已知。行當冠多士。」妻覺誌之。歲終希仲歸家。妻以夢告希仲。答以館中美女事。妻曰：「鬼神有知。如此乎。」明年果登第。

拒淫館女

餘姚謝遷少館于常州。其家有女。乘父母出。奔謝。謝問故。女笑持謝衣。謝諭之曰：「汝爲女子。未嫁而我敗之。終身玷也。將使父母夫族。皆無面目。」遂拂衣拒之。女感其言。灑淚而去。後中成化乙未狀元。拜相。子復官至侍郎。正以持已誠。以動人。婉言開導使女子感而灑淚。宜其爲狀元宰相也。

拒淫館婦

浙有指揮使。延師某訓子。師病寒。欲發汗。令其子取被子以母牀臥被與之。誤捲母鞋一。還被而鞋墮焉。師弟皆不知。使來視疾。見鞋生疑。夜訊妻。妻不服。令婢詭以妻命邀之。已持刃伺其後。俟門開而殺之。婢叩門。招師。師怒曰：「是何言歟。明日當告主人。」使復強其妻往。師固拒曰：「某蒙東翁相延。豈肯以冥冥墮行哉。」門終不啓。明旦師辭去。使曰：「先生眞君子也。」始述昨日事謝罪。是科師登第位顯爵。

餧肉虎口不啖者幾人。若一啓門。名也。無色也。無命也。無此際誤。多少人怕怕。

束修奉父

顧態性至孝。父娶妾生二子。鍾愛之。態舌耕爲業。每歲束修。悉以奉父。分文無所私。庚子春。館於張氏。開館之日。張知其孝也。計一歲修脯送之。告曰：「今日之贈。尊翁未知也。此間適有田欲售。可買之。俟秋成可得租以自便。」態曰：「不可。吾豈爲幾斛米。易其心而欺吾父哉。」卒持獻其父。生子際明。少年登第。官至翰林。

重誼讓館

慈谿二生。同至吳江覓館。甲所得議館脯九金。乙止六金。乙謂甲曰：「兄家止嫂一人。九金有餘。弟則上有父母。六金猶未足耳。」甲蹙然曰：「兄言良是。」卽以九金館讓乙。而自處六金者。抵館後。偶檢殘書。得外科方數則。藏之笥中。歲暮還家。見一人倉皇覓醫甚急。問故。曰。「主人乃山東布政也。赴任在舟。忽患背瘡甚苦。一甲念正與前方合。隨至舟按視。照方用藥即愈。布政大喜。贈以百金。又聞讓館事。益重之。為薦於慈谿尹。拔入泮焉。

禍福無定

淮西庠生葉諸梁。家極貧。教蒙餬口。有本城巨室馬姓者。延為西席。教伊二子。見葉為人倜儻。深相契重。每歲館金百兩外。另有厚贈。更出貲代其生發。葉感激知己。竭力教其二子。數年間。葉亦家累千金。成富翁矣。後馬為郡倅。病卒任所。二子浪費無度。金珠田產俱遻葉手。變賣葉輾轉圖謀。盡有其業。致馬二子一貧骨立。一日葉夢至陰司。有官據案而坐。馬在階下。歷數其負義忘恩之罪。官大怒。罰變為牛。葉再四哀懇。求放回陽。願盡退前產。照應二子。

官曰：「爾既悔過。權放爾還。若不踐此言。永墮阿鼻矣。」葉醒語其婦。婦曰：「今日我家享用。皆馬之業也。即使退還原本。仍不失爲富翁。何苦與鬼結仇。」葉意遂決。次日訪其二子。棲身破屋。荒廚冷竈。淒涼可憐。見葉大哭。葉亦想起前情。執手涕泣。遂挈二子歸家。爲之整理衣服。贈銀百金。先爲目前用度。數月後。盡出前所得財產。令一子開張典鋪。一子出外經商。二子歷過艱難。亦痛改前非。辛勤立業。各攤重貲。具本利還葉。葉堅却不受。曰：「老夫赤貧。承令先尊高誼。得有今日。慎勿辭。庶老夫與令先尊。終交情他日地府相見。可彼此長笑耳。」時中秋賞月。醉臥窗下。見馬來謝曰：「先生向日所爲。雖屬不應。但我之二子。習成奢侈。留產于彼。亦必花費。幸先生代管數年。吾二子從艱難之後。方克改悔成立。

是先生愼守吾產而又成全吾子此恩此德吾已告諸冥官轉奏上帝先生後福甚長特來奉報』謝別而去葉自此凡有經營靡不如意所獲倍於馬產四子克繼書香稱望族云

吉凶無定

崇德姜應兆爲人謹厚素惡酒絕滴不嘗設教里中從之者衆一日遇鄰人醉倒扶以歸家覺袖有金潛取之是夜一生讀書其家聞人推戶欲進曰『主人虧行上帝以其素謹未忍遽殛姑使我來爲孽』明旦以告姜竦然自是嗜酒日坐醉鄉半載竊金悉償酒價生徒俱散產盡形羸家人苦諫弗聽一日入酒肆有女奔姜姜自思曰『向因一念之差顚沛至此人生幾何豈容再誤堅拒不就』一夜夢神曰『我酒孽也汝前竊金故來耗汝昨日君有善

事上帝敕我遷矣。」及旦厭酒如初。生徒復聚。家產漸盈。卒以壽終。後嗣有達者。

誤人子弟

萬曆間京口張某有文名。七試不得采芹。求夢於文昌閣。至夜夢帝君怒責曰：「天罰至矣。尚望泮乎。爾憶十五年來豪富相延束脡殊厚。汝所授未能償十之一。凡歷五家。皆為改作文字。欺誑父兄。遂誤其子弟終身。今爾衣食頗裕。猶不念所從來。聚徒館舍。羣習摴蒱。為師者當如是乎。」張不敢答。驚而寤。因禁不出戶。一日其徒洶洶至報曰：「某生因賭而鬬。為某生擊死矣。」張株連訟庭。刑辱不堪。財盡。悒鬱而死。

疏于訓誨

安邑朱半塘官鄞縣言邑有一生頗工文而偃蹇不第。病中夢至冥司。遇一吏乃其故人。因叩查籍。吏曰：『君壽未終而祿已盡。恐不久來此矣。』一生言平生以館餬口。無過分之暴殄。祿何以先盡。吏太息曰：『正為受人館穀。而疎於訓誨。博奕廢業。自詡廣達。冥司謂無功竊食。即屬虛糜。削除其應得之祿。故壽未盡而祿盡也。凡利人修脯。誤人子弟。冥譴最重。有官祿者。減官祿。無官祿者。減食祿。一錙一銖。計較不爽。世徒見才士通儒。或貧或夭。動言天道難明。烏知自誤生平。罪多坐此哉。』一生病果不起。臨沒舉以戒所親云。

處館曠職

吳中一名士。年六十餘。語妻曰：『我雖不得達。幸一生美館。得以成家」夜夢父責之曰「汝本科第中人文昌以爾虐館僮職削去桂籍尙爾自誇耶」

(二) 著作家

著書感人(一)

錢塘柴省軒著述善書皆輔翼經傳生平與臣言忠與子言孝無不勉人爲善其爲下根人說法每引感應之案以歆動之因取感應篇逐句詳釋倣河上公解道德經例分爲九章名感應篇直解又取十三經及二十一史之感應故事勒爲成書名感應經史通考歿後有江右羅含者館正定梁氏病劇見冥官威儀甚肅旁侍錢塘洪貞孫羅夙與洪友善趨問尊官爲誰洪曰「吾鄉柴公省

軒也。」羅向前肅拜。問將來功名。柴曰：「人生大節。在忠孝二字。窮達何足論。」語訖而甦。事聞於都下。翰林侍讀施愚山、給諫嚴灝亭、皆柴公故人也。同至羅寓。詢其狀貌。悉符。事載吳青壇太史記中甚詳。公生二子。長世堂。次世臺。皆有文名。

著書感人（二）

漳州顏茂猷生平奉行感應篇。積德累功。殷然以萬世人心為念。著迪吉錄八卷。挑剔危微。助天闡教。讀其書而悔過遷善學道成眞者。不知幾千百人也。崇正甲戌春闈。全作五經題。試官驚其異才。而疑違式。揭曉奏於朝。天顏大喜。特賜進士冠鼎甲前一時。咸稱為天子門生。

著作艱難

著書者爲衆人之所好也。然苟不由於勞苦之功則鮮能成非常之業。彼藏之名山傳之其人。豈苟焉而已哉。昔英人閼垤孫者其著旁觀論也。豫置三大册爲寫本。奈端撰年代學之書也。凡十五易稿而成。吉本之著備忘錄也。九易稿而成。蒲豐所著物產之書其凝思歷五十年之久。易藁者十一。休模之纂英國史也。一日之中從事於斯者十三時。孟得斯鳩嘗以其所著書示其友曰。「足下讀之頃刻而已。終而吾勞苦撰著。鬢髮已斑白矣。」歷觀古人其難如此。若夫不阡不陌非途非路。率爾而操觚者。則亦雕蟲小技而已矣。

誡作淫詞

張纘孫先生誡人作淫詞云。今世文字之禍。百怪俱興。往往倡淫穢之詞。撰造小說。以爲風流佳話。使觀者魂搖色奪。毀性易心。其意不過網取蠅頭耳。在有識者固知爲海市蜃樓。寓言幻影。其如天下高明特達者少。隨俗披靡者多。彼見當時文人才士已儼然筆之爲書。昭布天下。則閨房醜行。未嘗不爲文人才士之所許。平日天良一綫。或猶畏鬼畏人。至此則公然心雄膽潑矣。若夫幼男童子。血氣未定。見此等詞說。必至鑿破混沌。拋捨軀命。小則滅身。大則滅家。嗚呼。誰實使之然耶。況吾輩既已含齒戴髮。更復列身士林。不思遏之禁之。何忍驅迫齊民。盡入禽獸一路哉。禍天下而害人心。莫此之甚己。倘謂四壁相如。不妨長門賣賦。則何不取古來忠孝節義之事。編爲稗官野史。未嘗不可騁才。未嘗不可射利。何苦必欲爲此。況矢口定是佳人才子。密約偷期。絕不新奇。頗爲落套而况綺語為殃虛言折福不獨誤人兼以自誤吾實為作者危之惜之故不憚與天下共質之也。

絕筆艷詞

黃山谷好作艷詞嘗謁圓通秀禪師秀呵曰：「大丈夫翰墨之妙甘施於此乎」時秀方戒李伯時畫馬公笑曰：「無乃復置我於馬腹中耶」秀曰：「伯時念想在馬腹墮落不過一身公以豔語動天下人淫心豈止馬腹中正恐墮泥犁耳」公悚然悔謝自是絕筆。

嚴戒口孽

嘉興某曾作戒口業文萬歷壬子年邁無科舉門入應試者邀赴西湖偶出犯布政鋮布政命題課文獎之為請學憲得與棘闈一

夕夢其父語曰：「汝前身恃才挾貴。詈汝永困場屋。今科榜中一士爲姦室女除名。文昌帝君錄汝戒口業。文勸人莫談閨閫。請以汝名補之。宜益修善。」生喜而醒。果發解且顯爵。

賦詩宜愼

宋端宗時。元師狥台。台之臨海民妻王氏。有令姿。被掠至師中。千夫長殺其舅姑與夫而欲私之。婦誓死不從。佯曰：「能俾我爲舅姑與夫服朞月。乃可事君子。」千夫長見其不難於死。從所請。仍使俘婦雜守之。師還。挈行過嵊上之清風嶺。王氏仰天歎曰：「吾今得死所矣。」即嚙指寫詩石上。投崖而死。至今石上血猶墳起。如新。不爲風雨所剝。一士人有詩非之云：「嚙指題詩似可哀。斑斑駁駁上青苔。當初若有詩中意。肯逐將軍馬上來。」後其人絕嗣。元楊廉夫亦作詩曰：「介馬馱馱百里程，溽風後夜血書成。只應劉阮桃花水。不似巴陵漢水清。」後廉夫無子。一夕夢一婦人曰：「爾憶王節婦詩乎。雖不能損節婦之名而毀謗節義。其罪至重。故天絕爾後。」廉夫悔悟。更作詩曰：「天隨地老妾隨兵。天地無情妾有情。指血嚙開霞嶠赤。苔痕化作雪江清。願隨湘瑟聲中死。不逐胡笳拍裏生。三月子規啼斷血。秋風無淚寫哀銘。」後復夢婦人來謝。未幾生一子。

修志不慎

某縣修縣志。有廩生與其事。見舊志所載二節婦事平平無奇。削之。夜過城隍廟。見兩婦至神前訴曰：「某等一生苦節。某生不訪氏行表章。輒反削去。」神曰：「此生合登黃甲。既輕節義。削其祿籍可也。」

淫書害人

近日文詞小說。街坊貨賣者甚衆。凡淫穢難堪之語。不可形於齒頰者。公然筆之於書。即就其尤雅者。亦無非偷會私期。敗名喪節之事。後來反得顯貴團圓。將中冓之醜。說得毫無足怪。無知閨女。遂誤認爲佳人才子之事。由此喪貞失節。玷辱家風。萬年難洗。至於開小兒未萌之竇。啓村夫羨慕之心。種種禍害。不可殫述。更有春宮淫像。亦屬導淫之階。此皆流毒人心之甚者也。居顯位有言職者。誠能嚴行禁止。其有裨於風化。豈淺鮮哉。

作家殷鑒

昔江南荊某之多著淫書也。子孫爲丐。才子張某之編造小說也。

全家溺死。袁某之著西樓傳奇。某生之作西廂也。俱嚼舌而死。孝廉某之著金瓶梅。同上曹雪芹之撰紅樓夢也。俱不第而絕嗣。石門某之刻如意傳也。以破家而絕嗣。王生之作疑雨疑雲集也。斃糞窖而絕嗣。朱海之著釵燕圖也。天律削祿。安徽某生之撰紅樓節要也。學使除名。紅樓一書誨淫之甚者也。相傳爲演說故相明珠。家事。乾隆五十年。以後。其書始出，金聖歎之評西廂水滸二書也。無子而陷大辟、李卓吾之兼評金瓶梅三書也。非横而斃獄中。咸以爲受禍最烈。庸詎知或有不止是者乎。昔有士人某夢遊冥府。至一處。鬼卒把守森嚴。哀聲震動數里。問之曰：「淫徒死後。拘魂到此。受苦罪滿日。分別投生。惟作淫書者無赦」又有人入冥。見作還魂記者。身荷重枷。支體零落。又有死而復甦者云。「見作牡丹亭者。在暗室受諸苦訊。諸吏曰：須俟艷曲滅後方得超脫。」然則作西廂金瓶梅諸人。恐亦不免矣。

謔語誚世

明季吳下有秦生者。力學多才。尤工詩歌樂府。爲人亦坦率無他腸。惟好作謔語誚世。或見人形貌不堪識面而一詩立就。聞人作事可笑。入耳而一歌已成。其窗友黃緣入泮。作遊庠詩一百韻賀之。其隣人帷薄不修。作黃鶯兒十首贈之。繪影寫聲。窮工極巧。流播人口。達於遠近。因此屢困老拳。且訟之官府。幾褫其衣衿。終不改也。晚年忽病瘧。發狂自啖其糞。取刀自劙其舌。家人奪刀。鎖之空室中。覓刀不得。乃嚼舌如糜而細吐之。臭聞戶外。

作詩嘲人

「章齊一能詩。好嘲人。每一詩成。令人醜態畢露。後得惡疾落齒而

死文人才士以詩隱嘲人者尚其鑒諸

妾女流落

士人某恃才放誕薄孔孟爲迂儒常載酒畫舫擕女樂一部歌呼沈酣於山水間跌宕風流顧影自喜其所著皆淫詞豔曲傾動一時某死後家無積蓄且無子四妾一女流落無依因嫻習歌舞銀箏紅袖遂倚門獻笑矣

目瞽指連

維揚某生造一淫書既成夢神呵之醒而自悔遂止後因子夭家貧仍復付梓未幾目瞽手生惡瘡五指俱連而斃施耐菴作水滸其中姦盜之事描寫如畫子孫啞者三世士果有才何在不可表見乃不爲勸善之文而徒爲導淫之具虧一己之陰隲害萬世之

人。心。也。哉。

嚼舌而死

唐元稹之姨女崔鶯鶯者絕世姿也。元固求爲婚。崔母欲以妻其姪鄭恆不遂其請。元憤甚。因作會眞記以汚之。且代鶯作倡和詩傳世。遂使無瑕白璧。永墮汚泥。較之鄭生罪又甚焉。厥後雷火焚屍。之。報。不。亦。宜。哉。相傳元編至碧雲天。黃花地。西風緊。北雁南飛之句。忽然仆地嚼舌而死。

肢體零落

昔有人入冥。見一囚身荷重枷。肢體零落。問何人。獄卒曰：「汝不聞作還魂記者耶。此記一出。聞者醉心。上帝怒其蠱毒人世。罰入此獄直待世界中。更無一人唱此曲者。彼乃得解脫耳。』吁可畏也夫。

全家溺死

張某稟異才。好編小說。刊板發賣。自謂紙上泡影。筆底雲煙。無傷陰德。一夕夢其父訶之曰。『爾所著諸刻。令閱者目眩神飛。認假爲眞。因而敗人行檢者不少。冥司於此等案。降罰最酷。爾本前程遠大。壽數綿長。今緣是折消矣。可惜祖先數世培植。一旦頓喪爾手。尚謂無傷耶。』張驚寤。大悔。未幾。全家溺死。

削籍減壽

四川錢生大經。學問淹博。年十七遊庠。久困場屋。庚子科禱宿文昌祠。夜夢青衣童子。引至桂香殿前。帝君命吏查冊云。『錢大經二十歲鄉榜第二名。聯捷大魁天下。官二品。壽七十二。緣造淫書。三部。削籍。壽亦不永』。帝君諭曰：『汝存心忠厚。且孝友無虧。奈何揑造淫書。使男女閱者。敗名喪節。若非宿植德本。立見殞命墮地獄矣』。錢瘖而悔。逢人勸誡。後以明經終老。卒年六十七。

（三）畫家

艱辛不屈

篤兒湼爾英之名畫家也。父爲倫敦之整容匠。少時嘗習其業。以其暇學藝。一日忽有過客。見其模寫之紙。大稱賞之。勸其父當從其所好。篤氏處貧困之中。雖遭無限艱辛。而絕不爲之屈。沮恆盡心竭力以從事於丹青。人有囑畫者。不計其謝。而惟求其藝之精孰嘗自言曰：「吾昔於薄值之畫極意經營此爲最上之練習」蓋篤氏雖在酬報之微者亦不任意塗抹而務盡所長且今日之畫必期較勝於他日以此之故則所繪者多多則足以揮洒自如而得臻絕技故篤氏之進步有如旭日之光才力益生境界益闢竟以名家著聞。

萬象爲師

義人古勞德以奮勉之功脩繪山水之遠景而成卓絕有名之大畫家者也其家世本寒賤始執業於陶人之門嘗有一賈客往義大利知古勞德之好繪事攜之偕行抵羅馬爲畫家亞哥士之僕因此次第精進後歷遊法蘭西日耳曼諸國無地不留畫稿行旅之費亦於此取給焉及還羅馬四方之請繪者常接踵而至無有

己時。蓋古勞德之畫。非出人之傳授。而惟以萬象爲其師。平日習房屋田土樹木花葉之類。描寫精密。不計光陰。時而自曉達旦。仰望彼蒼。熟觀行雲變幻之狀態。天色明暗之增減。一一模倣其眞形。而不稍懈怠。所以其設想之高下。筆之絕。而爲山水畫工之第一流也。

（二）農篇

出金救人

雲間莫文通居郡城二里涇。世爲農家。一日持二十金至鄉買稻種。泊黃浦。有二人縛一少女欲沉浦中。莫問之。對曰：「此我主人女也。主人察其與人有私。故令投之急流耳。」莫曰：「兒女子何知。且目擊之事。或有未眞者。幸爲釋之。請以囊中二十金爲壽。」女得脫。叩首莫前。願執箕帚。莫曰：「我豈愛爾姿容哉。侍憐爾芳年。死於曖昧耳。今已昏黑。我舟小。難容汝。登岸亟望有燈火處投入可耳。」是夕歸舍。夢神語曰：「汝救人命。陰德深重。天報汝以賢子孫。」後子勝以明經。始通仕籍。孫昊。鄉薦第二。昊子愚亦舉人。愚子如忠。亦鄉薦第二。發嘉靖戊戌進士。仕至方伯。其女逃去一文學。收之。生六子。一子卽與昊同年。何三畏先生曾作善人傳以紀其事。

好施茶水

杭州菜傭。性孝。母一日遇濟顚禪師。索以芥菜一擔。歸告母。母曰：「此行僧也。可卽擔去。」至寺門。師命以芥子和泥爲丸。曰：「今廣東痢疾甚行。汝以此藥賣之。每丸可得銀一錢。毋多取。歸可養母矣。」傭復告母。母曰：「師言恆不謬。」及至廣東。賣之。病者服之。卽愈。不數日。賣盡。滿載而歸。一同伴聞之。亦以求師。師曰：「無庸。此子前生好施茶水。受其惠者。今皆以一錢報之。（一飲一啄皆由前定。）故命之往。子前生未有此施捨。却教汝何處去收耶。」（各有前因莫羨人。）

鬼魅畏懼

博州每夜有鬼掩打更者。問於永歲禪師。師曰：「禁氣勿言。可捉也。」後果捉之。鬼云：「所畏者惟禪師與黃二叔。」乃訪得黃二叔。問故。黃云：「我賣菜三十年。無論價之低昂。稱秤未嘗過心。」

濟人之急

楚州有王姓者。賣花為業。時值歲底。婦女需此過年。王花朵鮮豔。

莫不添價爭買。王不歸家。先到古廟中坐殿前臺基上。取戥稱銀。約有加倍利息。忽聞殿中西角。有喉喘之聲。王驚視。見一破衣男子。懸樑自縊。王卽解下。撫摩半嚮方甦。曰：「君方年少。何故尋此短見」其人曰：「小子不幸。家業凋零。貿易無本。一貧徹骨。已近除夕。家無粒米寸柴。寒荆又臨盆。我出外欲貸三五十錢。應蓐中之急。竟無應者。想男子在世。妻子生產。分文莫措。何面歸家。不如尋死」王曰：「君若死。令妻產中。誰爲救援。必死並腹中子女。亦必死。豈非三命。我今日賣花銀一兩六錢。除本八錢。尚餘八錢。吾與君平分春色何如」將銀慨然與之。亦不問其姓名。其人叩謝而去。王復至街賣餘花。抵暮方歸。妻立門首等候。曰：「君來何暮。使我心驚」王告以贈銀救急之事。妻亦賢淑。並無怨言。曰：「適見堂中火光熒熒。約高尺餘。我恐見鬼。是以不敢在家。」王視之果然。曰：「此寶光也。下必有金銀。」挖之果得白鏹二鏝。各覆元寶一錠。上有字云「救人三命。天賜成家。」王得此營運。遂成巨富。謹藏元寶以傳子孫。後代繁衍。人皆稱爲花王云。

釋仇通好

江蘇泰興縣。司大者里中富室陳氏佃也。家貧不能輸租。欲以所佃田轉質錢於他姓。田旁有李慶四者。潛賂主家。竟奪其田。復輕其直什之一。司不平。歸而見李與諸作劵者殺鷄治酒。因隨之往。李欲刦司。先以一巵飲之。司忿恚恨去。對妻語所以。且誓必報。妻諫曰：「吾之窮命也。奈何仇人哉。」不聽。夜持炬往焚其家。聞內有人娩。司竊念吾所仇者。其家長也。何忍殺其母子。遂棄火溝中而歸。既而無以爲生。卽以償錢爲豆乳釀酒。貨賣以給食。久之家漸饒。而李日益貧。仍出田質他姓。司還用李計。復其田。又減前直之一。爲券。悉値前人。相視驚嘆。司欲泄前恨。亦具鷄酒。飲亦如之。李不自反。怒其薄已也。歸積膏火破盎中。夜抵司門。司妻方就蓐。李豫。猶間聞人啓戶聲。棄火急走。實未有人出也。司旋得火器於場。驗器底有李字。喟然曰：「昔我焚彼家。因其產兒而止。今我適亦以產兒得免。此天也。非人也。」遂持錢五千詣李。曰：「昨小人無狀。未及共飲。茲願少伸謝。幸無督過。」李疑之。紿以疾。強之始起。同入酒家。司捧觴謂李曰：「君之子某年月日子時生。而吾子亦前夜子時生。怨仇之事。愼勿復爲。」因具道始末。瀝酒爲誓。且語酤兒曰：「爾識之。用此警世間人可也。」劇飲盡歡。更約爲婚姻。自是兩家俱致富。通好益密焉。

(三) 工編

(一) 船夫

舍貨救人

建寧楊少師榮。其祖父皆以濟渡爲生。每至久雨溪漲。衝毀民居。溺死者。順流而下。他舟皆撈取貨物。獨少師曾祖及祖。惟知救人。而貨物一無所取。鄉人共嗤其愚。逮少師父生。家漸裕。有神人化爲道者。語之曰。「汝祖父有陰功。子孫當貴顯。宜葬某地。」遂依其所指葬之。卽今白兔墳也。後生少師。弱冠登第。位至三公。加曾祖父。皆如其爵。子孫貴盛。

拯救婦孩

昔南海有一漁者。居瀨上。以釣自樂。得魚易米換酒。拾蘆掃葉以供樵爨。淡如也。偶値洪水如沸。漂蕩民居。人爭網財貨。漁者操小舟。惟人是拯。曾救四婦人三孩子。婦則認親識者歸之。惟孩子未有所主。漁者覓老嫗畀養之。日所易米盡付養兒。自甘一粥度日。月餘水消。漁者往訪水患之處。少者哭其子。老者慟其孫。漁者訪實領其人到嫗家。一一抱回。喜動天地。後求漁者謝之。已移往他所矣。世言隱君子者。何地無之。

還金致富

李小兒爲人運舟。有商遺銀十錠。船主匿之。越日李遇商人。見其貧困。李到船。私將原銀還商。船主怒逐去。李後李偶暑浴橋下得銀數錠。販米投行。行主即失銀之商也。感恩効力。三年李致富。

還金得金

餘干舵師吳某。與其子載商至瑞洪。商去。遺金一袋於舟。吳檢舵得之。懼其子見。乃置爨灰中。子欲發舟。吳故遲延半日。商返覓金。即舉以還。商請均分。吳堅卻曰：『吾豈拾多而取少耶』。商呼天拜謝而去。其子恚曰：『橫財入手不能享。乃以還人』。吳笑曰：『吾父子終日操舟。猶不能飽煖。橫財豈易享者』。命發舟去。其子不用命。乃自運舟。舟旋轉不動。如有物礙其舵。因入水驗之。得一箱內盛二百餘金。遂成富室。

仁慈致富

江南有徐汎愛者。以駕船為業。性極仁慈。貧客附舟。多不計錢。每日除食用外。餘貲卽買物放生。二十餘年。行之不倦。一日舟至江畔。見一古墓狐兔穿穴。惻然動念。與子持鍤掩埋。視朽棺中。皆黃白物件。因謂其子曰：「此種不義之財。理不當取。但既無失主。與其沈埋無用。曷若取歸作好事。」遂搬運回家。成巨富。徐擅此財力。爲善益勇。嘗看文昌陰隲文註云「人所不見爲陰。暗中施與曰隲」。不覺大悟曰：「天以財物畀我。而我之所行。人人皆知。是以天之恩。爲我作人情也。烏乎可。」自此凡做好事。不令人知。大出貲本。於城之四門。各開錢米店。見無衣食者。妻子凍餒者。破屋將傾者。則量其所需。寫票暗擲其家。到店取錢量米。主管見票卽給。不問其爲何人何姓。至敗落大家。讀書寒士。尤加矜恤。常謂人曰：「負販之輩。出其精力。日掙數十文。便可養家餬口。惟此兩等人。

肩不能擔。手不能提。又愛惜臉面。窮則眞窮。苦則眞苦。最可憐憫。一除夕各暗給米一石。錢五百文。至於男長未婚。女大未嫁者。停棺未舉者。逋欠錢糧者。皆量爲資助。親戚朋友待舉火者百十餘家。年過八旬。矍鑠如少時。忽遇異人謂曰：『子六十餘年積德累功。今世限將滿。曷從我歸蓬島。庶免命終時一番苦惱也。』徐從此而去。子孫追之不及。越數年。有鄰人至四川貿易於峨嵋山。見徐鶴髮童顏。鬚長過尺。問詢家人畢。即飛上山頂。倏忽不見。蓋已仙去。

害人自害

淮南陳徐二人皆業渡。陳便捷。獲利較多。徐嫉之。每暗損其篙櫓。一日同宿江邊。徐又取陳櫓暗損之。天明。恐事露。先開船去。至江

中。忽失足落水。大呼求救。陳急往救。而櫓已斷。舟不能行。徐在水中叫曰：「我暗損爾櫓。今明絕我命」一言訖。遂沈

（二）車夫

貧而好施

明天啓時。祥符縣車夫金芳。性仁慈。貧而好施。遇歉年。自啖糠粞荳渣。見飢寒殘疾人。必施一二文。每日空囊而歸。有時雨雪不出常忍飢一二日。不怨也。年六十四歲。遇無心長老。贈呑丹藥。髮白復黑。齒落重生。鄉里嗟異。後復遇長老。隨之而去。不知所終。

（三）石匠

不肯坿奸

宋蔡京立碑時。有長安石工安民當鐫字。乃曰：「愚人不知立碑之意。如司馬相公海內皆稱其正直。今謂之奸邪。民不忍刻也。」府官怒。民泣曰：「被役不敢辭。乞免鐫安民二字于石。」觀此則舉朝之人。不如一石工遠矣。

(四) 木匠

害人害子

蜀省歲荒。人有負米五斗。過巫山村落中。投宿一木匠家。匠與妻謀夜殺之。子不知也。夜與負米者同睡。至二鼓。負米者起如廁。匠持斧至臥所。昏黑中見一人睡正熟。即以斧碎其首。呼妻曰：「速來。五斗米又屬我矣。」其妻舉火照之。則死者其子也。遂大慟。負米者自外聞之。驚逸去。且訴之官。執匠寘於法。

謀財害命

明萬歷丙申。黃岡鋸匠皮龍兒與李鬍作伴。見李積二金在裹。欲得之。詭言某家召匠。誘至幽僻處。以斧擊破其腦。裂衣塞口。仍將土覆之。取金而去。日既暮。有二鬼掀土取塞。扶李使強起坐。輙又曰:「前人至矣。」復覆以土。教其忍死勿動。蓋龍兒恐李死不穩也。欲來加數斧。見果死。乃去。二鬼復至面前。使強起。已而徐徐披之行。將旦。以鋸掛其臂曰:「汝從此赴官司。我不能隨矣。」李扶重傷叩縣。又言鬼事。滿城駭愕。急捕龍兒論死。而李竟無恙。

(五) 印刷匠

竊紙神譴

江西南城縣貢生萬人文好善。乾隆戊子。發願刊送感應篇。購紙募許灣某匠在寓刷印。匠竊紙匿他處。萬一日赴寓催工。匠見萬至。忽驚跪階下。自言「竊紙若干。計少刷書若干部。致不能廣勸化。被神譴。罪當死」。移時果亡。萬氏諸子姪皆親見其事。

(四) 商篇

(一) 普通商

却敵救國

周弦高鄭人。秦穆公命百里孟明西乞術白乙丙帥師襲鄭。過周反滑。鄭人不知。時高將市于周。遇之。謂其友蹇他曰：「師行數千里。又數經諸侯之地。其勢必襲鄭。夫襲國者。以無備也。示以知其情也。必不敢進矣。于是乃矯鄭伯之命。以十二牛犒秦師。且使人告鄭爲備。孟明知事敗。乃返師襲晉。至殽。晉人邀擊。大破之。鄭于是賴高而存。鄭穆公以存國之賞賞高。高辭曰：「詐而得賞。則鄭國之政廢矣。爲國而無政。是敗俗也。賞一人而敗國俗。智者不爲也。」遂以其屬徙東夷。終身不返。

幹父之蠱

揚州大賈臨終。以一秤授其子曰：「我生平起家在此。中納水銀。出則倒在頭。入則倒在尾。輕出重入。所以致富。」子心非之。而不敢言。父沒。將秤焚之。未幾。子之二子皆死。因嘆曰：「父以用此秤而獲富。我以不用此秤而喪子。天道豈有知乎。」睡夢間神告曰：

「汝父之富。由前生種德所致。若今生復如是。子孫昌大無比。奈以秤欺心。造孽獲罪於天。故遣破耗二星爲汝嗣。長則蕩費家產。仍繼以火。俾爾產盡嗣絕。以示其報。今爾改惡從善。天故收回二星。爾能力善不倦。當有賢子復生也。」覺後行善愈力。三年後復生二子。讀書成進士。

厚待幼弟

明天啓間。杭城失火。一江西商寓。獨無恙。人問之。答云「是時恍見朱衣神洒水。故免。」衆叩其作何善事。商謙言無有。後有客於杭者知其事。乃告人曰：「此吾姪也。父有五子。惟某居長。且嫡出。餘俱庶弟。父歿時。有五歲。有三歲者。某拮据二十年。積至五千金。俟諸弟冠婚畢。會族分財。五分均析。絲毫不多得。合族義之。前此此之事想由公道格天。故免災耳。」黃席門先生見人弟兄相爭。作歌訓子。歌曰：「教兒曹要相好。爲兄的憐弟小。爲弟的念兄老。一般都是父母生。吵吵鬧鬧何時了。富貴貧賤總由天。任爾癡呆任爾巧。心腸乖。情性躁。總是父母不善教。親朋也有散場時。兄弟不和身不保。是非也要自思量。兄弟不和名不保。錢財也有用完時。兄弟不和家不保。多憎嫌。多氣惱。說長道短逢人告。結下冤讐海樣深。父娘罔極何曾報。聯豪姻。走勢要。闔門車馬多誇耀。一片精神奉別人。兄弟飢寒不相照。廣齋僧。多佈道。燒香吃素拜佛廟。無數銀錢養別人。兄弟錙銖多計較。被人欺。受人笑。到門陪禮不敢拗。無數周旋怕別人。兄弟一語多爭鬧。誇妻兒。好相貌。妻偏賢慧子俊俏。阿嫂弟婦罵不良。同胞猶子罵強盜。穿新衣。戴高帽。你家窮困。我家飽。眼前豐富任君誇。前路茫茫難自料。你貧窮。你自造。偏怨他家金滿窖。縱分一半與君家。還說無情滿口誚。吁嗟兄弟非路人。一回相見一回老。父娘養下一般勞。兄友弟恭勝封誥。勸兒曹要相好。」

罄資助友

臨川李春湖先生之大父宣誠。少時家甚貧。壯歲賈於粵。少獲利而素性任俠。故屢罄其所有。後往交趾市肉桂。艱苦備嘗。數年得千金之蓄而歸。途遇太平某司馬。素所識也。見其顏色慘沮。詰之。泫然曰：『我爲令時。因公挪移庫項八千金。今爲新任所揭。被檄至省。將參革勒追。恐身家非吾有耳。』翁曰：『吾橐中金。適符此數。君將去。無戚戚也。』司馬曰：『君半生辛苦。始得此金。今素手而歸。我何安乎。」翁曰：「我無此金。可圖再舉。君無此金。則身陷不測。而妻子監追。將有不忍言者矣。」委金疾馳而去。司馬得金事遂解。翁改爲倚頓之術。不數年。富甲一郡。春湖先生其長孫也。早歲成進士。入翰林。擢春坊。翁皆及見之。

訪還寄金

蒲州楊溥父。爲人忠信不欺。業商淮揚。一日有陝客事急回家。率以千金寄公處。三年不返。公將金埋花盆中。植時卉於上。親入關中訪之。本商已死。止有一子。公呼至。以金與之。其子疑不敢領。公曰：「此汝父所寄。爾何必辭。」其子叩謝擕去。後生溥。爲太師。孫俊民戶部尚書。曾孫元祥翰林檢討。

厚友薄己

江右劉映南賈於閩之汀州頗得利。乃買舟篋金歸。中途被竊。號於衆曰：「篋中毛某所寄二百金奈何」衆爲追竊者。已望見矣。竊者始棄篋而逸。劉驗之狂喜曰：『寄銀好在』蓋竊者棄其餘以餌追者。劉銀去而毛銀存也。衆問失銀若干。曰：「四百」問何以狂喜。曰：「寄銀在可以見吾友。失銀命也」衆咸嗟歎。是歲貿利倍常時。適償所失也。此事在嘉慶六年辛酉。越十四年乙亥。有同鄉某賈於歸化者。忽患病。劉往收賬。則責負人叢集店中查檢錢貨。呶呶議分未決。而劉責負五十金數最巨。乃語衆曰：「病者尚可不死。若錢貨驟分。則病者必死。是由吾輩死之也。且奈眷口何。我所責獨多。今若此。盍共俟明春乎」衆唯唯而散。某病旋愈。劉回舟中途有巨盜伺之。探知空手歸。遂去。

廣行方便

大興吳子芳祖父以貿易起家。至子芳家更裕。每自歎曰：吾今雖富。不過享庸庸之福耳。曷若後人書香蔚起（遺子黃金滿籝。誠不如教子一經。）為朝廷用乎。因公平交易。老少無欺。（人之折福。損壽。招禍。害子孫。皆欺人欺天之報耳。若貿易家牢守此公平無欺四字。則諸事不期順遂而自然順遂。生意不期興隆而自然興隆。財源不期茂盛而自然茂盛。）且極力廣行方便。計一年所入。除家用外。盡行施濟。（積財以遺子孫。子孫未必能守。散財積德。則賢子孫自生。善夫半積陰功半作家。回天妙法。）為文禱於關帝求保佑後人為讀書種子。足矣。生二子。一由拔貢作廣文。一登賢書作邑令。自是科第不絕。（施恩布德。世代榮昌。）

濟人利物

康峻為人慷慨。雖處貧困時。存濟人利物之心。一日往維揚。舟抵高郵湖。暮有老人至舟。謂峻曰：「爾存好心。已感動上帝。明日即行佳運矣。吾有銀一兩。送子作本。可得二十盒也。」峻辭不受。老人堅留而去。峻雖不明二十盒之旨。因老人之言大有元機。次日將銀付舟子。買湖中菱藕。至維揚。果賣銀二兩。此後販賣。俱得加倍。獲利無算。數年遂成巨富。始悟老人所云『二十盒者。乃二十次對合利息也』。於是焚香告天。大出貲財。廣行陰騭。一收買糧食。減價平糶。任人自量。二荒年施粥。老疾婦女。給照票日領升米。三設義塾。積書萬卷。延名儒生。招徠四方英俊就學。厚其膏火。四設普濟堂。遠近有疾貧民。每人給房一間。床一張。席一領。延名醫住其中。挨房診視。道地藥材。量給飲食。資補病愈。給其人盤費回家。五代完貧戶錢糧。六親戚鄰里有男三十未娶。女二十未嫁者。給貲婚配。七施棺木。掩骼埋胔。八立育嬰堂。僱乳母收養遺棄嬰孩九朔望賑獄囚每人給米三升錢三十文饅首四枚十厚給貧窮無子寡婦收養無依廢疾年老之人其餘一切善事靡不踴躍力行後途遇前贈金老人峻邀至家拜謝老人笑謂曰「爾貧時存濟人利物心吾故贈爾貲本喜爾得利之後廣行陰騭上帝嘉悅獲報無窮尙勉旃哉』峻果享壽一百四歲無疾而終七子十餘孫皆登顯位世世簪纓

建橋利行

江寧貢院前爲秦淮河素無橋梁行人以舟爲渡康熙甲辰有巨商涉此渡適乏渡錢舟子逼勒之商怒曰「吾於此建橋甚易豈靳一錢乎』舟子爭論不已哄然市人咸集商即以二千金買木石其工匠則一僧募焉僧乃露棲其處以董其役不勝勞瘁踰年

而後告成丙午秋闈江寧府脫科咸歸咎於橋諸生呈於當事因拆毀之僧恚甚投河而死未幾首倡拆橋之士親見僧來詰責數之以罪立時嘔血而死

寧飢償債

徽商吳某信義自持臨終語二子曰「吾所存千金適符吾所貸汝照賬一一淸完寧受飢寒勿作負心人也」二子恪遵父命後甚貧偶濬一枯井得金千餘錠鐫唐時年號明晨有鄰人來賀曰「君有大財至矣吾病篤恍至東岳殿前見有解錢糧至者自稱井泉神主者曰『此唐朝內庫銀也上帝以吳某財帛分明判此項與其子孫世享』吾甦而異之故來奉訪」二子以實告遂致鼎富可見負債者則爲畜類以償還債者則享累世之富所謂仁

義。未。嘗。不。利。也。

施與好義

武進張皋文富陽周孝子豐傳言豐兒時。即孝父。父卒尤孝母。時時至母所視問。輒去少頃。即又至其子孫逮見者。言其寢將寐。必呼阿母。將寤亦如之。豐賈致富。有子三人。孫六人。年八十四卒。富陽人多稱豐能施與好義。然豐嘗曰：「吾愧吳翁焦翁。」吳翁者徽州人。賈於富陽。每歲盡。夜懷金走里巷。見貧家。瞷置其戶中。不使知。焦翁江甯人。挾三百金之富陽賈。時水暴漲。焦急呼漁者拯一人與一金。凡數日得若干人。留肆中飲食之。俟水息。貲遣之。三百金立罄。

還女輸銀

馮商壯歲無子。妻每勸其置妾生男。後如京師。買一妾。成券償金矣。問女所自。涕泣不能言。固問之。曰「父因綱運負欠。鬻妾以償」馮惻然。亟還其父。不索原銀。歸。妻問妾安在。具告以故。妻曰「君用心如此。何患無子」居數月。妻娠。將誕之晨。里人皆見鼓吹喧闐。迎狀元至馮家。是夕生兒。卽馮京也。後中三元。官至太子少師。相業甚盛。

救溺償銀

眞州商山嘗往來廣州販珍珠。路過豫章。曉起。未開船。聞岸上婦人悲啼。將欲赴水。山止之。問其故。婦言丈夫羅子英販磁器爲生。帶吾弟同行。因有事在家。令吾弟代往。弟收磁器滿載。値銀二百兩。渡湖遭風。舟覆。弟得不死而回。今丈夫以吾弟之故。逼妾賣身償値妾故尋死山曰：「此小事也爾夫往在何處偕吾往見之」婦又赴水山喚住遂同往見其夫取銀如數代償夫妻感激子英妻投水時身孕六月後產子十二歲進學英立山名位朝夕禮拜後山子爲豫章太守英子又得培植焉

愿商不死

陳良謨嘗言市賈黃臻質直謹愿好行善事見惡人輒縮頸避之僅生一子攜之以隨嘉靖八月中山水驟發人畜俱溺謨以乘桴登張先生之樓得免忽一人乘船過樓下呼曰「黃臻父子俱溺死矣」張先生不勝歎惜謨獨不信曰：「斯人行事萬無父子俱死之理」俄頃一人報曰「臻尚在其子死矣」謨曰「是或有之」須臾又一人報曰「臻死矣其子尚在」謨曰「是或有之

及次早臻攜其子來。自言抱木漂三十里。掛一大樹枝。緣木以免。其子騎一樑木出沒凶濤。逢舟人援救。是以父子俱全。」

救人獲報

萬曆壬午冬。徽商某過九江。見江岸有舟被刼。舟中人羣裸號泣。商泊而救焉。內有孝廉七人。各給衣食贈資斧以去。初不問姓名為誰也。明歲癸未。即登第者六人。其一為莆田方萬策。後分巡嘉湖。按部至檇李。憲副屠沖陽設宴。其時商以貲鬻身於屠矣。萬策見其侍宴。大驚。呼至几前。詰其來歷。因曰：「爾記憶八年前活數人否。」商已忘。良久乃云：「曾在九江救失盜者。」萬策出席長跪曰：「恩兄也。七人之中。我與焉。」即告屠贖。至公廨款月餘。贈以數百金。又來同難者贈之。商大富。仍歸於徽。

投生索債

永嘉徐輝賈販爲業。在丹陽貸一大商。錢千餘貫。未及償而商已死。輝幸其死。隱而不言。其家不知。亦無人來索。後生一子聰俊。輝甚愛之。八歲而病。召醫市藥。貲產耗盡而病不愈。一日語輝親屬一尼曰：「吾欲歸去。」尼曰：「此正汝家。更何歸。」子曰：「我乃丹陽人徐公貸我錢千緡。幸我死不償。我自取之。今已償畢矣。是以欲歸。」一言訖而絕。

殺人攫金

山東二人同賈。一黠一愚。各懷金半百以往。黠者於海上紿愚者醉之。刺其腹。攫其金。投尸大洋中。移舟而去。頃刻風狂。反流仍置尸沙上。爲土人所收。黠賈歸。埋金床下。紿愚賈家云：「彼已往天津矣。一數日後。黠者有弟婦。素蠢不曉戶外事。忽爲鬼所憑。口喃喃。稱予某賈也。爲某殺。攫予金置床下。予尸在某處。稱寃稱苦。聲聞里巷間。不能掩。愬賈家來。廉其狀。婦復詳其說。且泣且訴。官司覺而逮鞫之。具告如初。令取原金。而金宛然在。遣索尸。而尸亦宛然在。爰書既具。婦方蘇。竟不憶前所說何事也。

雜假被焚

海鹽倪生。每用雜木碎剉爲末。和作香料貨賣。夏日薰蚊蟲藥。忽爆火入香末內。頓起烟焰。倪欲出戶。遍室迷漫。不得出。須臾人屋俱燼。

雜假暴死

盧韋市賣油燭。以青魚膏雜置油中致富。一旦暴死。其母悲哀乞九天神祠夜夢神曰：「爾子以魚膏雜油中無論人食不宜且用爲廟燭腥氣觸犯神明死固宜也死且受罪何哭泣爲」

害人自害

山西劉又康樊白民二人常置貨赴江南發賣劉每得利樊每折本不怪自己命薄反歸咎於劉聞太行山有賊刼客商劉懼不敢出門樊紿之曰：「近有至親自江南來路過太行甚是平穩有賊之說乃告者過也且江南皮貨正缺兄有貲本若盡置皮貨到彼出脫利可加倍」劉以好友決不相欺盡其所蓄購各色貂狐等皮物別樊南下至太行被賊搶一空僅存性命流落古廟乞食一日忽見彪形大漢到廟借座劉上前求乞大漢曰：「觀汝相貌非丐輩中人何貧寒至此」劉告以被刼之故大漢曰：「爾所失有

單否。答曰：「有。」大漢乃山中夥賊也。命劉隨行至寨。回明賊帥。查原物已盡給各頭目矣。賊帥令將洋貨抵補。差僂儸挑送劉得珠珀珊瑚瑪瑙等類一擔。計其價值數倍所失。拜謝回家。道中遇樊。互相慰勞。劉曰：「幾與兄不相見矣。」盡告前情。樊口雖稱賀心益生嫉。離家數十里。樊曰：「目下禁止通洋。兄所帶之貨。皆犯禁物也。我先回送信汝家。著人來接。傍晚回府。庶爲穩當。」劉致謝不已。久等家人不來。只得前進。突有數人似公差打扮。將擔勒住。手持硃票云：「奉縣查拏通洋重犯。擔中所帶。莫非洋貨。」喝衆搜之。果洋貨也。欲鎖二人。僂儸打脫。與劉奔避。衆亦不復追趕。衹將貨物取去。劉與僂儸至樹林坐下。自傷命窮。辜負山主好意。僂儸曰：「是不難。我方纔雖走。回頭望衆人將貨挑入籬院中去。

看此光景定是一夥光棍。假冒公差。欺騙孤客者。前去十五里。有香山寨聚集人馬。皆我夥輩。相約到此。取回原物。爾在此坐等。慎毋去也」至晚果見僂儸偕十數人來。身邊俱有暗器。二更時。奪開籬壁。僂儸先進打探。正見樊與衆人分物不均。互相爭較。僂儸大怒。出曰『刼貨之人。乃爾好友。現在分物吵嚷』衆俱不平。吶喊放火。一齊殺入。不留一人。原貨仍歸於劉。蓋樊見劉擔中貴物。心懷妬忌。約伊表親。假裝公差奪去。料係洋貨。劉斷不敢聲張。孰知未害人先自害乎。劉自是攜家避居江南。不敢復往山西矣。

刻薄滅門

明正德時。江西于大朋。生性刻薄。事事算計。從不肯以便宜與人。家開布帛米粮店。制夾底斗。入則去底。出則加底。又制空心秤。灌水銀出入輕重隨手。人皆呼為「于老虎。」元旦之日。有人五更進香。過其門。見有大漢五人。衣服異樣。共相議曰：「此人利盡錙銖。天怒人怨。可使之合門染瘟。滅其家」一人曰「未免太寬。上帝因其無子。與以後嗣矣」其人知是神語。不敢洩。謹誌之。次年。大朋五十有五。妾忽舉子。人皆曰：「敗家者必是兒也」及長聰慧絕倫。十六歲入泮。十九歲成進士。為部僚。大朋作封翁。精神愈健。刻薄取利亦愈甚。人莫不謂天道茫茫。毫無報應。及甯藩之叛。大朋受其金。令子奉表稱臣。朝廷之事。纖悉必達。巡撫王守仁設計擒甯藩。搜得大朋父子歷次書表。奏上。武宗大怒。立命寸磔其子于市。家口無少長皆斬。其祖宗墳墓。俱燒骨揚灰。昔年進香之人。始悟病滅其家。猶屬太寬。非生子作叛臣。其惡不盈。天之報亦

不暢所謂擡得極高方跌得稀爛也

（二）木商

罄資建橋

歙縣余永寧祖以販木為業一日邑中議建一石橋估價費四千金余意欲獨任而資本適止四千又已市木在山因往彼處急賣歸而舉工及至彼木價騰湧獲利數倍橋工既成其本如故後余享康寧壽考子孫發祥者接踵

擲木陷害

宜興有染坊婦婦極美木商見而悅之誘餌百端終不能犯因而造謀夜擲木數根於婦家明日以盜告官又賄賂上下極其窘辱

以冀其從婦家虔祀神壇乃哭訴之夜夢神曰「已命黑虎矣」不數日商入山販木叢柯中突出黑虎嚙商頭而去

(二) 典商

出入公平

明嘉靖初年儀眞縣金某開典鋪於鎭是時江寇竊發劫掠富家殆盡獨金氏當鋪無恙有司疑其與盜相通及寇被獲詰其何故不及金姓因言幾次往劫見屋上有金甲神無數故不敢犯官猶未信呼地鄰詢之皆曰「金某實係積德各典出輕入重惟彼出入公平估物甚寬限期更遠且訪知親鄰之老而貧者破例免息又冬則免寒衣之息夏則免暑衣之息歲以爲常天祐善人故吉

神。擁。護。耳。」一令大加稱賞。直指聞之旌其門閭。【按】典舖本屬便民。獨其輕出重入。於貧民面上。分毫不假借。不免涉於市井耳。金某不惟無此弊竇。并能格外施仁。豈火燄官非所能損其福澤

容忍不較

尤翁開典舖。有人白手來取物。大聲詈罵。公命檢衣物數事與之。其人去。是夜竟死於他家。涉訟經年。翁曰「非。理。相。干。其。中。必。有。所。恃。小。不。忍。則。禍。立。至。矣。」一凡橫逆之來。先思所以來之之故。後思所以待之之方。不可動氣。兩個動氣一般受禍。

貪價拒贖

蘇州楓橋傅姓。以販米荳致富。開當。有寡婦以衣飾值數十金者。僅當錢三千。越一月。婦言票失。求認。傅貪其價浮。詭云贖去。密取當簿勾消以示婦。婦信其言。含淚自咎而去。傅喜得計。將衣飾賣

得銀十三兩。妻子不知也。未幾妻夢神告曰：「汝家富矣。却爲十三兩欺心事致經官府。禍且不測矣。」未及語夫。夫忽自言頭痛。第三日病轉劇。自歎十三兩事極小。如今弄成大官司。召司典人詳悉其事云「某飾在某處。某衣市某店。速取還前婦。以贖吾罪。」家人方覺。急覓前婦。未得而夜半已氣絕矣。此明崇禎辛巳五月間事也。

僞物易眞

康熙八年崑山某典鋪藏一銀匠於家。視人所典金銀物佳者。即以僞者易之。製宛肖。有人使老婢以金鐲典金五兩。贖時已爲贗物。不察也。未幾再以物往。典鋪中訶之曰：「銅耳。」婢曰：「前與汝五金。即此鐲。何言銅」。相持良久。竟以其物歸。主人恚甚。責婢曰：「必汝爲僞耳。」婢無以明。即欲自盡。忽然雷震一聲。則典中之人死矣。然猶諱之曰：「暴亡」。棺殮之三日。雷忽破棺。拉其屍於通衢。

（四）米商

任人自量

嘉靖時。平陽府西街楊士炎開張糧食鋪。喫虧忍氣。不與人校。人呼爲楊獃。見貧苦乞丐。必與錢米。店夥有時叱罵乞兒。楊云「貧苦小人所求者不過一文一勺。何忍加以呵罵。且人生靠天。只要店中生意順利。無官非口舌火盜。自己喫用省儉些。每日亦不爭乎此數百文錢。」貧人買米三五升者。常令他自量。任滿不取其利•遇荒年。家內所存錢米。平價糶完。每日晡。帶銀錢往僻巷小街。見孤兒寡婦。及貧病不能舉火者。酌給之。凡肩負挑販老幼殘疾。無不沾其實惠。愈施濟而家財愈盛。六十二歲秋。病入冥府。見冥官查其善功增壽二紀。後壽九十二歲。無疾而終。子孫累代富厚。

糶者自量

唐相李珏出制江南。夢入洞府中。見烟花爛熳。鸞鶴飛翔。石壁上金書列人姓名。中有李珏。珏喜自謂生於明時。又昇宰輔。必有功德及於天下。今洞府有名矣。旋有二童子出。珏問此何所。曰：「華陽洞天。此姓名非相公。乃江陽部民也。」珏驚嘆而寤。明日訪詰。得一人。舊名李珏。今因節使同名。改名寬矣。遂延之齋沐。拜謁。及月餘。乃問之曰：「道兄有何道術而名列仙眞。」李不知所出。拜問不已。乃曰：「賤民以販糴爲業。年十五。父令主之。人有糴者。即授以升斗。俾令自量。不計時之貴賤。一斗求利二文。以資父母衣食。遂豐。父知之曰：「同流中無不出輕入重以規厚利。吾但出入皆同。自謂無偏矣。而不及汝也。然衣食豐給。豈非神助耶。」今某已八十餘。不改其業。無他長也。」珏咨嗟自失。嘆曰：「人之動靜食息。莫不有報。苟平心利物。雖在貧賤。而見重神仙若此哉。」

米散饑民

全琮錢塘人。父柔常使琮往吳中賣米。値吳荒旱。琮將米散之饑民。空舟而返。白於父曰：「所利非急。而吳民方有倒懸之難。故賑給之。」父大喜。後琮仕吳。封錢塘侯。

一味吃虧

而復

嘉靖時平陽府西街楊士炎開張糧食鋪。斗秤進出。一味吃虧克己。人稱爲「楊獃」。伊見一切貧苦乞丐。常憐憫之。必與錢米。一日伊店夥呵罵乞丐。楊云。「貧苦小人所求者不過一文一勺何忍以呵罵加之。且人生靠天只要店中生意順聚無官非口舌火盜。自己吃用省儉些。一日亦不爭乎此一二百文錢」。貧人買三五升者。卽令伊自量。任滿不取利。遇荒歲家內所存穀米平價糶完。每日晡帶銀錢往僻巷小街施濟。凡親族鄰里肩挑負販病者瞽者。老者。幼者。無不沾其惠澤。愈施濟而家愈茂盛。方信暗中有神助也。六十二歲秋病入冥府。冥官言爾有濟貧大善。可還陽去增壽二紀半。後壽九十二歲。無疾而終。子孫繁衍富厚數百年不衰。此皆祖先肯吃虧。肯做獃所延之福澤也。

義薄雲天

湖南錢國寶與周尙義爲莫逆交。二人相約。往四川成都買米。下夔州發賣。時値米價昂貴。大得利息。錢忽感疾。臨終。强起作書。囑周曰：「我之死於他鄉。命也。弟可爲我搬柩回籍。歸骨祖塋。吾妻尙年少。決不能守。弟可娶之。代吾敎子養母。泉下瞑目。」周泣而含糊應之。錢死。周悉將錢應分本利。封固箱中。出己財爲備衣衾棺木。覓舟載回。一路掛孝供飯。如孝子焉。抵家。將本利交其母。一切喪務。皆周爲之支持。葬畢。於錢宅傍。稅屋數間。開店營運。凡日用所需。靡不供給。每日跪請母安。與寡媳並不相見。錢子年已六歲。赴社塾讀書。周早則送往。晚則接回。時刻照看。母欲依亡子遺言。將媳與周合巹。周辭曰：「凡人誰不欲妻守節。兒因母老子幼。

不得已有此亂命。實非本衷。我若爲滅倫之事。乃天下大罪人。異日何面見兄於地下乎。母感而止。周後娶妻生子。錢子事之如父。周歿。衰經三年。以報其德。周以經紀小民。不讀詩書。而其所行事事。有合於聖賢。關公桃園之義。奚以加茲。嗚呼。周亦人傑也哉。

一善一惡

山左鄧善心開酒米店。雖編戶細民。而忠厚正直。從不欺人。人皆以長者稱之。嘗謂子弟曰「吾不讀詩書。不知聖賢之道。幼年曾看格言。有不可存事上行不去的心。不可行心上過不去的事。吾奉此兩言。時時警戒。是以獲免罪愆」。時同里有馮姓者。亦開酒米店。嘗聽人講三國演義。曹操有言「甯可我負天下人。不可天下人負我」。馮欣然大喜曰：「處世者不當如是耶」。於是逢人即談此二句。一日被攝至陰司。見一衙門。東西兩廊。掛有榜文。東曰：「行善之報。」首列鄧名。下註不存事上行不去的心不行心上過不去的事。子孫顯貴。西曰：「作惡之報。」首列馮名。下註寧可我負天下人。不可天下人負我。子孫絕滅。稍時冥官陞座。馮辯曰：「我與鄧同業生理。彼此皆口頭話。何至報應懸殊若此。」官曰：「彼不存事上行不去的心。即感應篇是道則進也。不行心上過不去的事。即非道則退也。乃聖賢。中人。安得不昌。其後子。聽三國之事。欲學曹操。與感應篇全然相反。乃惡人之尤。安得不受惡報。」叱鬼使帶還。後鄧子發甲。馮終身貧困無嗣。

圖賴寄金

太倉鎮海衛姜君溯開米鋪。有客馬淳溪以百餘金託之。出納無誤者二年至第三載託言米爲借戶所欠不免有欺負之意客乃抑鬱成疾逾時遂亡而姜素無子未幾妻有娠及彌月其鄰忽見馬淳溪至家詢之姜乃知己死俄而收生者出其門喜曰已得一子矣【按】此淸康熙前數年事

夾底斗

明武進東鄉顧某用夾底斗出則加底入則去之隆慶三年五月初八日雷火震其居劈其臥床兩犬震死有神降於庭曰「此夾底斗之警也姑以犬代汝命若不改悔天雷復至」顧於是不敢用

米中攙水

宋翟永壽販米爲業紹興乙卯間米價踴貴永壽於中路聞之乃

取稻田水潤米。不知其田已下糞矣。少頃黑雲忽起。震雷大作。永壽知罪。度必不免。因探腰間錢一貫。授與同行。囑令歸遺其母。作是語已。天忽開霽。夫穢水漬米。遂干天怒。若非一念孝心。豈不早斃雷斧之下乎。

(五)書商

毀板愈疾

楊鳳於蘇城開文淵堂書坊。因其妻患病十餘載。淹纏牀褥。輾轉不愈。鳳甚憂之。因思坊中有金瓶梅淫書板一副。印買發商。究竟罪過。遂於神前立願。誓將此板焚燬。祈保妻室病愈。甫禱畢。其妻病愈得半。迨將此板焚燬。病遂霍然。

不賣淫書

任元桂於蘇城元妙觀前宮巷中開設書坊。一妻二子。道光乙未秋。先是其妻患病。越數日。元桂亦病甚。昏憒之際。恍惚被冥吏攝去。逕押送城隍廟中。俄見城隍升座。案犯逐件審理。賞善罰惡。不漏纖毫。忽傳元桂至座前。諭之曰：「爾陽壽未絕。因坊中發賣淫詞小說。令閱者漸壞心術。貽害非淺。因此獲罪於天。故減爾算。」元桂叩頭謝罪。哀懇還陽。誓願改過。城隍復曰：「爾既知改過。今且放爾還陽。倘能誓願不賣淫詞小說。并能廣勸同業人不刻淫書板。不賣淫詞小說。不獨爾前愆可贖。抑且加爾福壽矣。否則罪不止此也。爾其勉之。」元桂一一凛遵。忽驚寤。病亦旋愈。其妻病亦愈。被攝廟中城隍訓諭等語。俱元桂自述也。

淫書流毒

江南書賈稽留積本三千金。每刻小說及春宮圖像。引誘無知壞人心術。人勸不聽。以爲賣古書。不如賣時文。印時文不如印小說春宮。以售多而利速也。初家積多金。不數年。目雙瞽。其妻多外交女三改適。所刻諸板。一火而燼。及死。棺殮無措。妻子有不忍言者。

六　棉商

認虧恤人

南陽李文達公大父。鬻棉湖湘間。三商以三百金易之。寄於邸。忽被火焚。商痛哭欲自盡。李曰：「貨未及舟。尚爲我物。金在應還汝。汝失此。無以爲生。我尚可力業而得也。」卽以金盡還之。三商哭謝而去。是夕。家中夢二緋衣神稱公陰德。錫以玉童。明年孫賢生位登首相。

捐資散賑

太原布商劉全順求袁柳莊相面。袁一見驚曰：「兄大限只在一月內。可飛速回家辦後事」柳莊神相也。言無不中。因是歸寓惘然不樂。表姪周鼇問故。始知。因勸云「今大荒歉。人相食。何不捐資五六十兩。買米麥散賑諸貧人。積大陰德。或者可回造化」劉卽依言。星夜發銀辦米散賑。過一月餘無恙。復往見柳莊。又驚曰：「爾作何大陰德。滿面陰隲紋。非但延壽。且可得二貴子」劉後年八十五。生二子。皆登甲榜。子孫科第不絕。

改樣換劣

清順治間。江西吳湛七。貿布爲業。先以樣布悅買者。日後卽更其劣。者。替。換。如。神。一商知其故。得樣布。踞坐其上。滙七急。從間道出。具衣冠入門。長揖。商忙迓答。已使人換其後矣。商不知也。遂挾劣布歸。售之。價不及半。大恚恨。縊死。未幾。滙七病。大叫曰：「縛我在火牀矣」。視其背。赤痕如烙。又呼曰：「天乎。奈何秤我而鈎我脊也。」脊果鈎起寸許。若著鈎者。既而呼渴。其子進湯。不受。曰：「陰溝水佳。」或戲取進。狂啜而盡。如是數日乃死。

七　鹽商

散錢濟貧

蘇州潘封翁。家富。業鹽。而獨不發秀。每歲暮。即取白金數百兩。分作小封。多寡不等。日披舊褐。往城市鄉鎮。察無計度歲者。債逼不能償者。窮途不能歸者。一切貧困。量給與之。人莫知其誰也。又多製棉衣以衣寒者。多設粥廠以食餓者。多施茶藥。多施棺木。凡諸方便。終其身樂行不倦。親見二子成名。一翰林一中書。孫世恩狀元及第。官至首揆。世璜及元孫禰蔭皆探花。科甲累代不絕。

拳拳一卷不離懷。休慮蘭芽未茁階。陰德耳鳴人不識。狀元宰相已安排。徐太史詩

貪財害命

張眞元。鹽賈也。泊舟江畔。值洪水漂流。一婦抱衣廚呼救。張操小舟濟之。見廚中皆金帛。遂復推婦入水。越四年。所居忽水湧。一家十餘口溺死。

八　酒商

貪心鬼弄

臨安沈一性最貪。開酒店於錢塘門外。一日將二鼓。有貴公子五人來飲。沈意其爲五通神也。叩求曰：「得遇尊神。一生遭際。願求小富貴」。客笑曰：「不難」。令一卒負一囊授沈。沈拜受。摸其中。皆酒器也。急攜入城。又慮有聲。爲人詰問。悉隔囊搥扁。歸家。喜謂妻曰：「我得橫財矣」。妻開視。驚曰：「此似吾家物」。因啓篋驗之。皆烏有矣。沈大慚。

（九）肉商

操刀自割

秀永屠戶潘麒肆惡橫行。無業不造。一日死而復甦。呼妻子告曰：

「吾死至地獄見閻君。閻君言善惡之報。陰府顯然。毫釐不爽。死者受報。生者不知。良由陰陽道隔。無從曉諭。以故受者方苦。作者熾然。即輪迴報應之說。尚多疑而未信。深可悲憫。今潘鱗罪惡已極。著令暫返陽間。假此一人。以警萬衆。」遂操刀自割其陰曰：「此吾宣淫之報。」自斫手足曰：「此吾宰屠殺生之報。」自剖腹刳心。提出臟腑曰：「此吾陰險殘賊。種種害人之報。」遠近喧傳。觀者萬衆。言訖而死。

墜窗劈頭

太倉蓬閬鎮。一屠戶。業宰牛。從江北買牛回。已抵歲暮。從妻索肉食。妻答無。屠人奮然持刀。割牛舌付妻烹煑。自往房中坐。向妻粧鏡臺照面。以刀修刮眉毛。驀地。弔牕繩斷墜下。頭劈兩開。立刻命殞鎭人衆口傳述。

（十）藥商

還金給藥

羅慶同市藥爲業。無分親疎貴賤。求藥必與善品。價不足者。不强索。嘗雪夜有人求藥。出金釧以償。羅見其情切。問之。求藥者曰：「母病」。羅曰：「母命汝出釧乎」。曰：「不知」。羅曰：「母知失釧。心必不悅。是益之病也」。遂與之藥。而還其釧。後母病愈。求藥者持金布來謝。羅受其布。金仍還之。羅雙泉、念菴兩先生。皆慶同之後。名德顯于天下。

假藥之害

張安國知撫州出榜曰：「陶隱君孫眞人千金方濟物利生多積陰德名在列仙自此以來行醫貨藥誠心救人者獲福甚衆曾見貨賣假藥積利起家自謂得計不知冥冥之中暗減其祿或身多橫禍天火雷震子孫非理破蕩蓋緣買藥之人疾病急切只望一服見效却被假藥賺誤反致傷損尋常殺一飛走猶有陰果人命至重無辜被害其痛何窮」

五　醫篇

功同良相

范文正公少孤貧日食齊粥一盂勤苦讀書嘗叩相士云「我能作宰相否」曰「非也」再問「能作名醫否」相士訝之曰「

何前問之高而今問之卑耶。」公曰：「唯宰相名醫可以救人」相士曰：「君仁心如此。眞宰相也。」後果參知政事子純仁復爲相。

不計財利

嘉靖時。南昌熊兆鼎精內外科醫術。不計財利。不避寒暑往往自備藥餌以濟貧病。遇荒年。卽步行四出赴診。甚至賣田以濟所活無算。自妻冬衣葛裙。怡然也。年八十歲誕日。忽見中堂懸紅綾報單上書奉上帝命。命熊兆鼎三日後赴福建省城隍司任。詢之家人皆云「不見」。至期。沐浴更衣。拜天地別親友。端坐而逝。異香滿室。數日而散。子孫繁衍。科甲不絕。爲江西望族。

全活無數

山陰金仰軒精保嬰心法。不計利。不辭勞。終身不坐轎。八十歲猶步行。凡遇病應用人參者。貧不能辦。即以自備用者撮入藥中。終不使知之。全活無數。年八十七。夢金童玉女迎之而逝。滿室異香。孫楚畹中天啓乙丑進士。官御史太常卿。子孫科甲不絕。

廣施救療

北史崔彧善醫術。性仁恕。見病者喜爲之療。廣教門生。令多救療。子景哲亦以醫名。仕至司徒。孫爲鴻臚卿。

不計藥本

明潘夔精於岐黃。留心利濟。歲大疫。賴公起者八九。而不計藥本。鄰有趙某嘗訟公於官。而病甚劇。謂其子曰：「能生我者。潘公也。」其子謂方與潘訟。柰何。趙曰：「吾雖惡之。然其心甚慈。必不害我」公遂悉心調治病以得痊公三子伯驤桂陽令仲驂翰林編修季馴宮保尙書孫大復丙戌進士【按】救人之念旣切則報復之念自輕至訟我之人亦思歸命而望救則所感乎人者亦深矣

周給貧病

張彥明善醫貧者不受錢或反周之有請者無論早夜閒忙皆速往嘗雪夜赴人之請家人止之曰「天雪夜寒可明日往」彥明曰「彼病急一家驚慌可緩須臾耶」後城中火起四鄰燒盡獨張屋無恙人皆異之其子孫多貴

貧病送診

金穰縣王叟業醫貧家病雖夏日再三往病愈不責一錢其治藥最審泡洗不如法不以授人後叟年八十餘曾孫亦娶婦凡有三

十六房子孫多顯者

昏夜不辭

虞山陳襟宇善醫里中有不時延請者未嘗以昏夜爲辭所赴貧家繩床土莝便溲狼藉未嘗蹙額掩鼻爲人和藹喜赴人急活人無算崇禎中二子登賢書急醫如故既爲邑令輒貽書戒之曰「醫誤殺一人吏誤殺一邑愼之愼之」壽至八十乃卒

孝友可風

蘇州錢禹芝名醫守默子也守默卒禹芝雖習其業未知名家計漸窘遺兩弟皆未婚一姊一妹雖已嫁孀嫠抱遺孤無所依賴禹芝悉撫之同居養膳不懈然所入者寡不勝食指之繁也明末有潞王南奔舟泊胥門猝疾求醫甚急禹之家住胥門內道近因招

之去。投以藥。輒愈。羣呼神醫。王贈以五十金。時撫按府廳縣。日來候問。知禹芝名。爲之延譽。聲譽隆起。醫道大行。禹芝婚。其二弟。授產析屋。其仲弟輒敗其產。再歸再析。終不厭倦。姊妹之甥。咸待其長成。爲之婚嫁。士大夫不獨尊其醫道。咸欽其孝友焉。

拒奔不淫

黃靖國判儀州。被攝至冥。主者曰：「儀州一美事。曾知之乎。」命取簿示之。乃醫士聶從志。于某年月日。華亭楊家行醫。楊妻李氏奔之。聶固拒。上帝敕從志延壽三紀。子孫三世登科。黃醒。以告聶。聶歎曰：「此獨知事。妻子未嘗與言。不謂已書陰籍。」後子孫皆登科。

給藥拒淫

何澄善醫。本邑孫勉病。召澄診視。往來數次。言病屬大虛。宜多服補藥。不然難療矣。勉妻喻氏少艾。自思家貧無錢買藥。且無物酬醫。病何得愈。心生一計。引澄至密室告曰：「妾家貧。不能辦藥。願獻此身以救夫。乞先生憐之。」澄正色曰：「吾素不作此汚行。尊嫂請保重。吾力猶能辦藥。必愈爾夫之疾。不必慮也。」竟辭出。多送補藥救之。一夕夢神告曰：「汝醫人多功。且不乘危亂人之婦。奉上帝敕。賜汝一官。錢五萬貫。」未幾。太子得病。諸醫不能治。澄一劑獲安。賜官與錢。悉如其兆。噫。密室之事。天鑒若此。謂可瞞乎。不可瞞乎。

乘危妄索

當塗徐外科。醫富人江舜明背瘡。索其謝。已許三百金矣。攻療旬日。法當潰膿。徐欲得謝。復以藥紙撚插入。江呼痛苦。徐曰：「付我謝金。痛乃可止。」江子怒不與。反復爭論。乃許其半。時紙撚已入一寸矣。及拔出血湧如泉。遂死。江子訴於官。徐受刑。將斃。行賄免焉。未幾徐病。叫苦不絕聲。但云「江舜明莫打我。我固不是。令郎亦殊誤事。」如此數日乃死。夫醫術不精。猶云誤殺。乘危妄索。豈非故傷。外科賺財。不遂往往移輕作重。使之決裂。而徐收其功。亦烏知陰報之已隨其後也。亦愚矣哉。

視死不救

歙人蔣紫垣。流寓獻縣程家莊。以醫爲業。有解砒毒方。用之十全。然必邀取重貲。不滿所欲。則坐視其死。一日暴卒。見夢於居停主人曰：「吾以貪利之故。誤人九命矣。死者訴於冥司。冥司判我。九世服砒死。今將赴轉輪。我哀告鬼卒。得來見君。以此方奉授。君能持以活一人。則我少受一世孽報也。」言訖涕泣而去。其方以防風一兩。研末。水調服之而已。無他藥也。

貪賄無狀

宣城符裏鎭人符助教。善治癰疽。而操心甚無狀。一意貪賄。病者瘡不毒。亦先以藥發之。前後隱惡不勝言。嘗入郡爲人療疾。將辭歸。自詣市買果實。正坐肆中。一黃衣卒忽至前。瞠曰：「汝是符助教耶。陰司喚汝。」示以手內片紙。皆兩字或三字。作行。市人盡見之。疑爲所追人姓名也。符曰：「使者肯見容到家否。」曰：「當即取汝去。且急歸。以七日爲期。」遂不見。滿城相傳符助教被鬼取去。及還至鎭。臨岸欲登。黃衣已立津步上。舉所執藤棒點其背。符大叫好痛。黃衣曰：「汝原來也知痛」所點處隨手成大疽如盌。凡呼號七晝夜乃死。

錯誤殺人

劉太初醫薛司法妻差誤致死。後數年。白晝有一婦人蒙首至其家口稱某人妻就醫劉偶他出。家人辭去。劉歸遇諸塗。敘前病症。數劉用藥之誤劉驚駭汗出回家而死。嗚呼。今之以醫殺人者。所在皆有特未遇厲鬼如司法妻者耳。遂可謂寃對已盡釋乎。

粗率殺人

婦人楊阿刺自幼貧苦。晚益狼狽。臨終自語曰：「我前身本一醫人。失於詳審。有一婦人自稱病蠱。不能辨其是孕。遽以芫花酒下之。婦人與腹中二子俱斃。是我一舉殺三人。陰司罪我。罰受女身。

今已三世恆爲賤隸。長困飢寒。多病少安。可語世之醫者。以我爲戒。」

抄方救人

嘉定馮生。抄寫經驗良方。遍貼流傳。一日舟覆南海中。恍見水神諭曰：「子寫醫方救人。故救汝。與汝珠三顆。可致富矣。」馮曰：「某命窮。安敢望富。」王曰：「貧富固由命。惟心好者命亦無憑。汝命雖當貧。汝心卻應富。卽如水厄亦命所招。因汝心好。便不爲害。」遂拯至岸。竟以貨珠致富。

假方欺人

唐白岑遇異人授以發背方。療疾甚驗。多索人厚禮。方與下藥。時有諫議大夫高適。欲得其方廣救濟。與以數十金。乃與以僞方。醫多不效。後岑至九江。為虎所噬。遺小囊于道。值適親人所得。視之乃眞方也。乃以廣傳于世。

六　雜編

誤殺寃報

郵差

汴郵卒。單騎巡警。出都門甚蚤。至棘野中。有蚤行賚輕貲者。見卒來。疑有他志。匿棘叢中。卒亦暗不辨也。但聞途左有行步聲。近身不見。恐是虎豹。因以槍遍刺叢中。中之。拽而出。則死矣。方知其誤。遂取其囊金。棄尸於棘。人莫知也。卒由是富。娶妻。久無子。止育一女。晨坐於門。見所刺之人前來。亟闖戶。潛窺之。竟入對門皮匠家。俟晏。問之。則匠昨夜生子矣。卒既知其因緣。了不敢言。第厚遇匠。

并憐其子。許以女妻之。匠大喜過望。令其子事之如父。一日盛暑。卒飲酒醉臥。汗湧出。適匠子侍側。微以刀刮其汗。醉中不辨何物。以手擊之。刀遂入腹。將絕。亟呼家人言其故。女卒歸之。并家私盡授焉。

妻孝神助　兵士

于保。爲騰越州卒。戍。其妻王氏。事姑至孝。每於關帝前爲姑祈壽。王氏念姑老。而夫不在家。殊鬱鬱。因作詩云「信香一粒米路隔萬重山。一香一點淚。流恨入蕭關」。越日。保在伍列。遇赤面長鬚人。呼保曰「汝妻事姑孝。欲汝歸。汝願否」。保曰「願歸」。赤面人乃令駕馬馳行。未幾。己及家鄉。王氏見而疑。保告其故。乃詣關帝廟謝恩。明日赴州言狀。移文至騰越州查之。保僅離戍一日。而伍簿上且有關帝勾免四字。

果報勸人 說書

杭州有李某者。嘗談唱文書。說至淫褻處。必抽去之。最喜談說果報。藉以勸導多人。其生意頗忙。晚年生子。光泰 甚聰俊。少年科第。榮歷仕途。世之說書者。輒謂抽去淫辭。必無人聽。故不惜描摹刻酷。以蠱惑世人。其務為此也。以騙生意。不知造孽無窮。

知機避禍 卜者

唐武攸緒。恬淡寡欲。好易莊周書。少變姓名。賣卜長安。后革命。封安平郡王。固辭。願隱。許之。還兄攸宜敦諭。卒不起。市田潁陽自混於民。晚年。曈有紫光。晝能見星。親貴來謁。寒溫外無所言。俄而諸韋誅。武氏連禍。唯攸緒不及。唐書隱逸傳

藉卜勸善 卜者

嚴君平賣卜與子言依於孝與臣言依於忠與弟言依於悌惟是尋常指點終日講習雖無講學之名頗收感化之効

拒淫主婦 伶人

常熟孫優人奏技於郊外之富室主婦見而悅焉遣婢招之孫思我輩薄福何可爲此託病持燈覓路而歸夜深不可行欲尋村家止宿遙望而趨則一古廟也因于神前假寢俄見兩神謂曰「不意此人有此善行應議賞」一令查祿籍侍者持簿至曰「祿壽俱無子嗣亦絕」又令查其祖父答曰「薄福如本人無低昂也」神曰「豈可使善人無後大福未可待當賜一令子」歲餘舉子擢恩貢官司李未赴任家居講學江左士林咸推仰焉

今人以漁色爲快其行樂幾何而膝下子嗣安知不去其佳者而

易以豚犬乎又安知不幷其豚犬而斬之乎

嘉言激人

伶人

五代時唐莊宗獵于中牟踐民田縣令切諫莊宗怒將殺之伶人敬新磨擒縣令責之曰「汝爲縣令奈何縱民稼穡以供賦稅何不飢汝一縣之民空此田以備天子之馳驅」莊宗大笑縣令乃免

祖傳戒殺

茶役

孟瓶菴先生家世寒微封翁某充藩署茶役而諄謹有士風祖傳戒殺之訓奉行惟謹兼勸其儕偶多信從之者署中讌客廚下宰殺無數封翁必遠避不但不忍見並不忍聞其聲方伯聞而喜之亦以此化導其家人爲之減殺無數封翁知公善讀書加意培護

之。公每往友人家會文。日未晡。封翁必篝燈候其門。並囑出入人毋使某知。恐擾文思。後公自知之。每會文。輒不待晡而畢。鄉試揭榜日。封翁隨官入內簾。繕至解元名。不覺大笑。衆官詢知即其子。乃各起立拱賀。先送之出。公聯捷成進士。入翰林。改吏部。典試山西。督學川中。封翁尚健在。子若孫皆聯翩舉於鄉。公守先志。合族以殺生爲戒云。

還金變相

僮僕

明尙寶司袁忠徹過某友家。見一僮美秀機警。尙寶相之。勸其友逐焉。謂將不利於主。友弗忍也。後數數言。不得已。聽之。僮去無所歸。夜宿古廟中。見牆角一破衲。內裹黃白數百兩。欲取之。忽自歎曰：「我以命薄無故見逐。今掩有此天。其謂我何」。因取而待之。

至旦。果有一婦號泣來。四顧徬徨。問其故曰：「吾夫軍也。以事繫獄。應死。某指揮當治之。妾賣貸得金若干。將以獻。過廟少憩。不意失之。吾夫分死矣」。僮細詢其數皆合。悉還之。婦欲分以謝。不受。遂去。其夫既得釋。念僮之德。遍以語人。某指揮聞而異焉。訪致之育於家。指揮故無子。遂子之。又數年。得襲職。歸拜故主。歎曰：「尚寶之術亦有誤乎」。適尚寶至。使衣故衣。捧茶而出。尚寶驚曰：「此故童子耶」。主謬曰：「逐出無歸。今復來耳」。尚寶笑曰：「君無戲我。今非君僕矣。三品武官也。形神頓異。必有善事以致此」。僮爲述前事。益歎尚寶之奇。（注）忠徹號柳庄。精相術。有柳庄相法行于世。尚寶司官名。

衆去獨留　侯

王逵初爲屯田郎中李曇僕後應募爲兵適曇父子坐事繫御史臺獄親友無敢餉問者惟逵日守臺門供飲食獄具貶南恩州別駕從者皆去獨逵送之曇感病卒逵經理後事哭之如父事畢方去司馬溫公義而傳之

保護幼主 僕

漢李善南陽李元僕也元舉家疫死只餘一孫名續尚在襁褓其家巨富諸奴欲分其產謀殺之善乃密負李續逃匿山中哺食乳自生汁至續十餘歲乃出告於縣令鍾離意意捕諸奴悉殺之而立續光武拜善及續俱爲太子舍人後遷善爲日南太守道經南陽至元塚一里外卽脫朝服持鋤去草拜墓哭甚哀自執爨以祭曰「主君夫人善在此」數日乃去夫以廝養之卒尚知盡忠如

此。凡居官受祿。爲縉紳先生者。可不各殫厥心乎。

盡忠報主 僕

楊忠者。戴獻可之僕也。獻可家富。有莊在昌國縣。饒魚鹽竹木之利。命忠主之。獻可卒。子伯簡年少。浪費。好從諸惡少遊。不數年家盡破。獨昌國一莊在。往依焉。忠夫婦謹事之。且籍貨財之簿以獻。伯簡妄用如故。從遊輩又至。忠泣諫不聽。一日與其徒會飲樗蒱。忠挺刃而前。執其尤者捽之地。罵曰：「我事主人三十餘年。郎君年少。爾輩誘爲不善。家產掃地。幸我保有此業。汝必欲蕩之耶。我斷汝首。告官請死。報主人於地下。」其人伏罪。謂自今不復至。乃以數縑遣之去。忠揮淚謝伯簡曰：「老奴驚犯郎君。自今改前所爲。但聽老奴盡心力役。不二三年。舊業可復。不然。老奴當即日投海不忍見郎君餓死貽門戶羞也」伯簡慟泣從之數年果盡復田宅忠事之彌謹忠既歿其妻子夢謂曰「我以忠於所事上帝已命爲本境神矣」

諫主坍逆　僕

武氏僕某當其主武愫受闖賊僞職索吉服僕大慟曰「奴聞主憂臣辱主辱臣死今駕崩主人不奔喪哭臨反取吉服謁見新君乎餓死事小失節事大望三思之」叩頭出血愫不聽叱之出僕曰「主人爲名利所惑不聽吾言後必有悔吾不忍見主人翁之失所也」不食而卒愫後爲淮撫路振飛擒解南京斬之

半產善舉　僕

松陵許孝廉有僕家累三千金將死子方十歲請獻其半於主以

保孤主曰：「我受之無名，但汝下人而致富若此，豈無刻事？且享福過甚，致損汝壽。若能善後，當以此爲汝子種德耳。」僕感泣死。主乃以其半行種種方便事，延師令僕子與己子同學，後同科。

竭力養主　僕

趙延嗣事制誥舍人江鄰幾。江死，止遺三女，家甚貧。延嗣竭力養之十餘年，未嘗識女面。及三女長，乃至京訪舍人舊交翰林宋白、侍郎楊徽之，大哭道其所以。二人驚謝曰：「汝之所爲，吾儕不及也。」於是合迎三女至京，擇名士嫁之。延嗣不以存亡易心，誠可爲義僕矣。

蒸稗佈種　僕

錢益者，某人僕也。其主以謀鄰田不遂，乃用陰謀取稗數斗，令錢種其中。錢思彼家一年耕力。何忍誤之。欲不種。又恐主責。心生一計。將稗蒸熟種之。主人往觀。屬實。遂無語。既而稗不生。主人怪之。而莫知其故。後錢生一子。名美中。進士。主人之子忽發狂言曰：「三十年前蒸稗事。天賜錢以貴子。其主當絕。」言畢死。

縛主求賞

偰

元末東莞人王成作亂。何眞起義兵除之。募人能縛成。予鈔十千。於是成奴縛以出。眞如數賞奴。因令人具湯鑊。駕車上。成懼。以爲烹已。眞乃縛奴烹之。使人鳴鼓推車號於衆曰：「奴無縛主之理。所以罹此刑也。」人服其賞罰之公。附之益衆。

挾怨訴主

偰

明成化間。永嘉書生王杰買薑於湖州呂客。因爭値。怒毆客。背誤傷立死。亟救得甦。生謝過。款以酒食。且遺絹一端。客還。次渡口。舟子問何處得絹。具述前事。時河畔適有流尸。舟子遂從客買絹。併丐貨薑籃。伺客去。撐尸至舟。脫衫袴衣之。薄暮。亟叩生門曰。「頃有湖客過渡。云爲君毆傷。浼我呼其父母妻子告官。留絹與籃爲證。語竟氣絕。尸在舟中。不敢不告」。生舉家泣怖。賂以二百緡。舟子佯有難色。勉從其請。相與瘞尸深林。生有黠僕胡虎聞之。挾怨訴生於縣。拷掠幾斃。繫獄經年。薑客復至生家。爭詫爲鬼也。驚避之。客曰。「去歲蒙主人厚意。贈我以一絹。即歸。今方齎土儀致謝。何言鬼耶。」生之子號泣曰。「非客至。我亦不知父之寃也」。偕客訴於官。執胡虎。置于法。生寃始白。

欺凌其主 僕

李孝壽知開封府有舉子爲僕所淩忿甚作狀欲送府爲同社勸解不果自取狀戲學孝壽押判曰「不勘案決杖三十」僕怨之翌日竊狀走府曰「秀才自學府判狀私決人」壽卽令追之既至具陳所以壽謂僕曰如此秀才所判正與我同眞不勘案命吏就其狀如數決之

毒主殺身 婢

淮西某秀才家有婢名緋桃專操內柄一日主母患痢婢欲乘機斃之將毒藥數丸和痢藥而進未及逞謀情懶睡去忽夢中自言曰「藥死主母可得金飾一匣」主母詰之則曰「未嘗言」適腰間丸藥墮地又詰之則曰「我心痛欲治耳」卽自取吞之未幾便血直注呼號而死

保護幼主 傭

明李崧龔氏乳媼之夫也所乳兒五歲而孤家奴欲殺之而有其產崧夜負而逃走雪中五日夜依兒外家沈氏兒名錫爵成進士念崧不置命子孫世世祀之

孝親不倦 乞丐

楊乙武進圩橋人也嘗爲同里徐翁家酒傭所獲貲悉攜歸養親乘暇輒悲泣翁窺見詰之嗚咽不能對一日忽告去强留之不得曰「吾父母年高恐一朝不測抱恨終天將返爲承歡計耳」一去而行乞每得食雖極餓不敢嘗必先以奉親有酒則跪進伺親持杯方起跳躍歌唱以悅之如是者十年父母相繼死復乞棺脫己衣以殮值嚴寒赤身弗恤葬於野露宿墳旁日夕哀號崇禎六年

徐翁病入冥。至殿所。忽聞傳呼聲。吏報云。「楊孝子至矣」。視之。即故酒傭也。冥王急降階迎。請更衣加冠帶。延之上坐。揖而言曰：「上帝嘉公誠孝。有敕特命公為神」。隨陳樂設宴。時徐翁在側。楊見之。謂冥王曰：「此故人也。願賜再生」。冥王許之。因囑翁曰：「汝還人世。當廣行勸孝。孝必獲報。楊公其券也」。翁既甦。亟遣人訪楊。則已卒於墓旁矣。遂傳其事以勸世云。

乞錢轉施　乞丐

披髮婆子。年約八十餘。不知何處人。在沁水縣東門內往來求乞。日誦彌陀不絕聲。人憐其老。多施錢米。婆即轉施孤苦飢民。並云我代施主種福田也。後里人見五色雲起草中。覘之。婆已坐逝。異香郁然。

止怨不報　鋤賊

江陰南門軍張旺嘗夜盜城西田父菜。被執。濡首厠中。遂懷恨。一夕匿火往燒之。道經官溝。有畫師吳碧山未寢。聞步履聲。窺見旺。有惡鬼數十尾之。頃又聞履聲。窺旺回。有青衣童子前導。明日叩旺。旺曰：「我初欲爇其室。忽念冤冤相報。將無已時。故止。不意鬼神已知。」

盜知敬善　盜

陸應期。大同人。正德初。貰齊魯間。同舟者三四輩。不知舟人皆盜也。而以很惡為能。數因事慢罵之。捶楚之。應期獨否。又時時推飲食。而勞苦焉。一日。舟人遲遲不肯進。若有所待。同舟者又猝欲加鞭。頃之。盜發。擁應期坐樹下。相誡曰：「公長者。願無犯。」乃執同舟者撈掠之劫其資一空。比去應期囊橐如故。可見盜賊猶知感德。爲善者又何嘗吃虧耶。彼逞强爲勝者。能無悔乎。

盜能仗義　盜

獻縣史某素無賴而有直氣。從博場歸。見賣婦償債者泣於道。史某即傾囊與之。夫婦深感其德。邀自家留宿。欲令其妻薦枕以報。史變色曰。『史某半世爲盜。半世爲捕役。殺人曾不眨眼。（足見膽大）若危急中汙人婦女。則萬萬不能。』一掉臂徑去。後村中火起。四鄰俱遭回祿。燒死者九人。史某全家無恙。（平日無賴者。尚能轉禍爲福。若素行無愆。得福應不止是。）

巨盜成仙　盜

阿耶律本一巨盜。夜至佛寺。見佛燈欲滅。拔劍挑之。燈忽大明。即時悚然改惡從善。後竟得道。朱忳亦一大盜。事敗入終南山日夜懺悔。眞人憑君憐之。授以道。忱修行不怠。竟爲輕舉。夫以盜與仙佛較。何啻霄壤。乃一旦回頭。皆可得道。則恥之于人。豈不大哉。

盜化爲神

盜

明末劉國能少年任俠。精於弓馬。綽號射塌天。事母至孝。崇禎時。天下荒亂。劉不忍母飢寒。與衆少年相結爲盜。得財奉母。雖爲闖賊部下。而所到之處。不殘殺姦淫。時督帥立旗招降。劉遵母命歸誠。由微弁遞陞副帥。嘗統兵至太行山。扎營崖畔。帳中假寐。夢有三人。一衣青。一衣白。一衣黑。謂劉曰：「吾輩乃三尸神也。今逢庚申日。應上天奏事。世人皆謂吾神喜言人罪過。不知人有一節之善。何嘗不據實入告。豈有隱善揚惡之理。子爲母無養。雖不得已而爲盜。却不殘殺姦淫。自投誠後。効力行間。頗著忠勇。種種好處。

吾神已上達天庭矣。茲值北極眞人主世。以子之才。可拜將封侯。若不知變通。禍將不測。子欲封侯拜將乎。抑欲作不朽之人乎。」劉夢中流涕曰：「吾犯彌天大罪。蒙朝廷赦宥。待以不死。且官至統領。常願殺身圖報。今母已終年。此身乃報國之身。異日史册列一名足矣。不願得封拜也。」三尸神相顧而笑曰：「好。好。」後流盜老回回降而復叛。劉率兵勦之。賊設伏以待。遂被執。誘之降。不屈。駡不絕口。賊衆大怒。肢解之後。人於其處立廟祀焉。

海門陳鏡伊先生編

道德叢書

●耗費十年心血● ●修齊治平之道●
●成此一部巨著● ●包羅其中無遺●
●全部共計千數頁並有王一亭先生題字數十面●

模範人生觀 勸善篇 交友篇 立志篇 處世篇 修身篇 道德篇 酒色篇 因果篇

婦女故事 賢淑類 節烈類 賢婦類 孝女類 孝婦類 慈婦類

家庭美德 夫婦篇 叔姪篇 父子篇 宗族篇 兄弟篇

孝史 事親篇 養親篇 敬親篇 孝感篇 從親篇 顯親思親篇 侍疾篇

官吏良鑑 清廉類 吏政官 循良類 州縣官 忠直類 考試官 仁德類 外交官 鄉邦類

法曹圭臬 審判官 獄官 檢察 律師

民間懿行 士篇 商篇 農篇 醫篇 工篇 雜篇

軍人道德 忠勇類 軍紀類 仁愛類 投筆類 廉介類 奸貪類

考試佳話 上冊三十五案 中冊十二案 下冊四十案

巧談 上冊四十三案 下冊六十八案

人獸之變 上冊人變爲動物六十五案 下冊人變動物，十四案

命相真詮 命學篇 相學篇 改過篇 定數篇

富室珍言 上冊事例五十九案 下冊惡例二十三案

冤孽 冤報篇 殺生篇 因果篇 其他篇 報仇篇 風水篇 現報篇 心報篇 宿命篇

●全部十四冊加裝燙金一函紙精美印刷只定價一元郵費角半●

發行所

上海霞飛路嵩山路口三層樓洋房道德書局

（電話八二七七四號）

另售模範人生觀巧談每冊各一角婦女故事家庭美德孝史官吏良鑑法曹圭臬民間懿行軍人道德

考試佳話人獸之變命相真詮富室珍言冤孽每冊八分以上同樣購滿五冊八折十冊七折郵費外加

國家圖書館出版品預行編目資料

民間懿行／（清）陳鏡伊編
-- 初版 .-- 臺北市：
世界，2015.08
面；公分．　--（道德叢書；7）

ISBN　978-957-06-0533-4（平裝）
1. 道德　2. 通俗作品

199.08　104014617

世界書號：A610-2165

道德叢書之七

民間懿行

作　者／（清）陳鏡伊編
發 行 人／閻　初
發 行 者／世界書局股份有限公司
登 記 證／行政院新聞局局版臺業字第〇九三一號
地　址／臺北市重慶南路一段九十九號
電　話／（〇二）二三一一一三八三四
傳　真／（〇二）二三三一一七九六三
網　址／www.worldbook.com.tw
劃撥帳號／〇〇〇五八四三七　世界書局
出版日期／二〇一五年八月初版一刷
定　價／台幣一六〇元
道德叢書全套十四冊，定價二四〇〇元